Mein
Fasten-
Tagebuch

Dieses Buch gehört

♥ --- ♥

Glücksgefühle, weil sich dein Leben **ohne Zucker** echt
anders anfühlt? Ein freier Kopf, weil das **Lärm-Fasten**
beruhigende Wirkung zeigt? Oder dann doch eher Überforderung,
weil das mit dem **Plastik-Fasten** zwar super wäre, aber ganz
schön schwer umzusetzen ist?

Das ist das Tagebuch für deine
ganz persönliche Fastenzeit!

Die Fragen helfen dir, deine Gedanken und Gefühle vor, während
und nach dem Fasten genauer auszudrücken und zu reflektieren.
So kannst du immer nachvollziehen, warum du dich beim Fasten
wohl oder unwohl gefühlt hast, warum das Projekt ein Erfolg oder
vielleicht nicht ganz so doll war. Deine Aufzeichnungen motivieren
dich vielleicht sogar dazu, dein Fastenprojekt zu wiederholen –
oder gar nicht erst damit aufzuhören.

Mit den Fragen in diesem Tagebuch fastest du bewusster und lernst
dich und deine Gewohnheiten noch einmal viel besser kennen. Du stößt
dabei möglicherweise an deine Grenzen, findest aber zugleich heraus,
dass es sich lohnt, aus gewohnten Lebensmustern herauszutreten,
deine Komfortzone zu verlassen und so zu erkennen, dass
Verzicht reich machen kann.

AB HEUTE FASTE ICH:

_____

Datum: _____

Warum habe ich mich gerade dafür entschieden?

_____
_____
_____
_____
_____

Was stelle ich mir besonders schwierig vor?

_____
_____
_____
_____

Was wird mir vermutlich relativ leicht fallen?

_____
_____
_____
_____
_____

Welche Erkenntnis erwarte ich aus diesem Versuch für mich?

Welche Auswirkungen erwarte ich aus diesem Versuch für meine Umwelt?

Wie lange will ich das auf jeden Fall durchhalten?

DER VERSUCH LÄUFT

Der erste Tag ist vorbei. So schwer/einfach war er für mich:

☹ ⬚⬚⬚⬚⬚⬚⬚⬚⬚⬚ ☺

Datum: _____

Es ist etwas passiert, womit ich nicht gerechnet hatte:

_____

_____

Datum: _____

Es ist etwas passiert, das ich genau so erwartet hatte:

_____

_____

Datum: _____

Die Hälfte der Zeit ist vorbei. Wie fühlt sich das Ganze für mich an?

_____

_____

Datum: _____

Oh nein! Ich bin kurz schwach geworden ... Warum?

_____

_____

GESCHAFFT! ... ODER DOCH NICHT?

Warum habe ich den Versuch abgebrochen?

_____

_____

_____

_____

_____

Haben sich meine Erwartungen erfüllt oder lief mein Fasten
ganz anders?

_____

_____

_____

_____

Wie hat mein Umfeld auf mein Fasten reagiert?

_____

_____

_____

_____

Würde ich das Ganze noch einmal machen?
Warum ja? Warum nein?

Werde ich damit weitermachen? Warum nein? Warum ja? Falls ja: in
welcher Form? Weniger extrem oder vielleicht sogar noch strenger?

AB HEUTE FASTE ICH:

_____

Datum: _____

Warum habe ich mich gerade dafür entschieden?

_____

_____

_____

_____

_____

Was stelle ich mir besonders schwierig vor?

_____

_____

_____

_____

Was wird mir vermutlich relativ leicht fallen?

_____

_____

_____

_____

Welche Erkenntnis erwarte ich aus diesem Versuch für mich?

Welche Auswirkungen erwarte ich aus diesem Versuch für
meine Umwelt?

Wie lange will ich das auf jeden Fall durchhalten?

Der erste Tag ist vorbei. So schwer/einfach war er für mich:

☹ ☐☐☐☐☐☐☐☐☐ ☺

Datum: _____

Es ist etwas passiert, womit ich nicht gerechnet hatte:

_____

_____

Datum: _____

Es ist etwas passiert, das ich genau so erwartet hatte:

_____

_____

Datum: _____

Die Hälfte der Zeit ist vorbei. Wie fühlt sich das Ganze für mich an?

_____

_____

Datum: _____

Oh nein! Ich bin kurz schwach geworden ... Warum?

_____

GESCHAFFT! ... ODER DOCH NICHT?

Warum habe ich den Versuch abgebrochen?

_____

_____

_____

_____

_____

Haben sich meine Erwartungen erfüllt oder lief mein Fasten
ganz anders?

_____

_____

_____

_____

Wie hat mein Umfeld auf mein Fasten reagiert?

_____

_____

_____

Würde ich das Ganze noch einmal machen?
Warum ja? Warum nein?

Werde ich damit weitermachen? Warum nein? Warum ja? Falls ja: in
welcher Form? Weniger extrem oder vielleicht sogar noch strenger?

AB HEUTE FASTE ICH:

Datum:

Warum habe ich mich gerade dafür entschieden?

Was stelle ich mir besonders schwierig vor?

Was wird mir vermutlich relativ leicht fallen?

Welche Erkenntnis erwarte ich aus diesem Versuch für mich?

Welche Auswirkungen erwarte ich aus diesem Versuch für meine Umwelt?

Wie lange will ich das auf jeden Fall durchhalten?

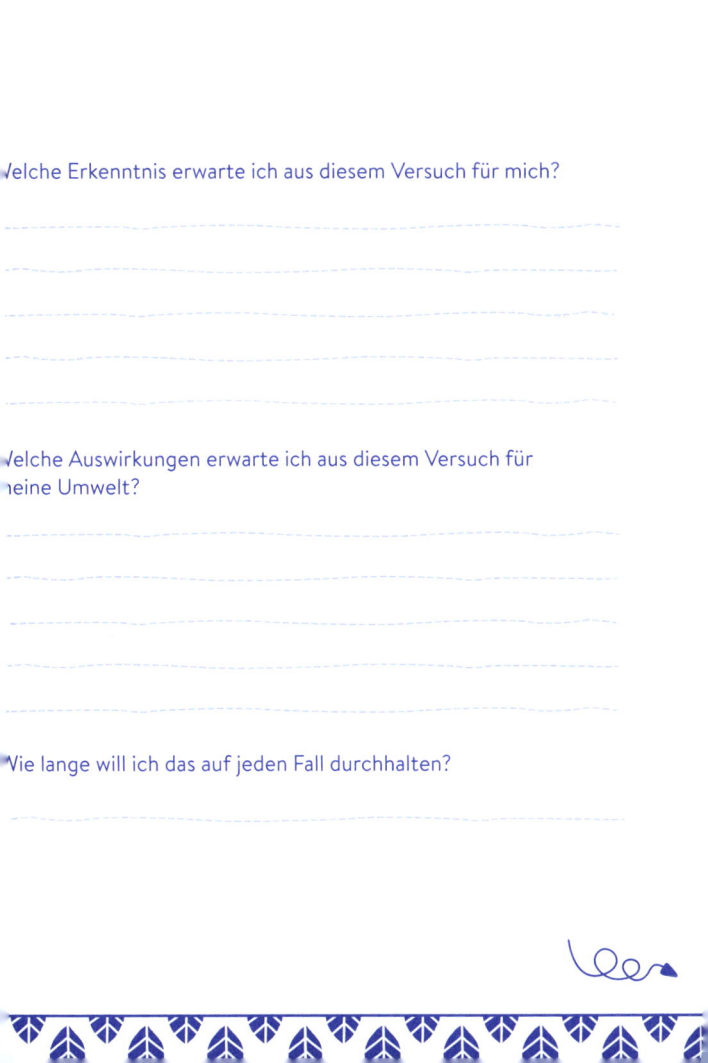

DER VERSUCH LÄUFT

Der erste Tag ist vorbei. So schwer/einfach war er für mich:

☹ ☐☐☐☐☐☐☐☐☐☐ ☺

Datum: _____

Es ist etwas passiert, womit ich nicht gerechnet hatte:

_____

_____

Datum: _____

Es ist etwas passiert, das ich genau so erwartet hatte:

_____

_____

Datum: _____

Die Hälfte der Zeit ist vorbei. Wie fühlt sich das Ganze für mich an?

_____

_____

Datum: _____

Oh nein! Ich bin kurz schwach geworden ... Warum?

_____

_____

GESCHAFFT! ... ODER DOCH NICHT?

Warum habe ich den Versuch abgebrochen?

Haben sich meine Erwartungen erfüllt oder lief mein Fasten
ganz anders?

Wie hat mein Umfeld auf mein Fasten reagiert?

Würde ich das Ganze noch einmal machen?
Warum ja? Warum nein?

_____

_____

_____

_____

_____

_____

_____

Werde ich damit weitermachen? Warum nein? Warum ja? Falls ja: in
welcher Form? Weniger extrem oder vielleicht sogar noch strenger?

_____

_____

_____

_____

_____

_____

_____

AB HEUTE FASTE ICH:

Datum: ....

Warum habe ich mich gerade dafür entschieden?

Was stelle ich mir besonders schwierig vor?

Was wird mir vermutlich relativ leicht fallen?

Welche Erkenntnis erwarte ich aus diesem Versuch für mich?

Welche Auswirkungen erwarte ich aus diesem Versuch
für meine Umwelt?

Wie lange will ich das auf jeden Fall durchhalten?

DER VERSUCH LÄUFT

er erste Tag ist vorbei. So schwer/einfach war er für mich:

☹ ⬜⬜⬜⬜⬜⬜⬜⬜⬜ ☺

atum: ....

s ist etwas passiert, womit ich nicht gerechnet hatte:

_____

_____

atum: ....

s ist etwas passiert, das ich genau so erwartet hatte:

_____

_____

atum: ....

ie Hälfte der Zeit ist vorbei. Wie fühlt sich das Ganze für mich an?

_____

_____

atum: ....

h nein! Ich bin kurz schwach geworden ... Warum?

_____

_____

GESCHAFFT! ... ODER DOCH NICHT?

Warum habe ich den Versuch abgebrochen?

Haben sich meine Erwartungen erfüllt oder lief mein Fasten ganz anders?

Wie hat mein Umfeld auf mein Fasten reagiert?

Würde ich das Ganze noch einmal machen?
Warum ja? Warum nein?

Werde ich damit weitermachen? Warum nein? Warum ja? Falls ja: in welcher Form? Weniger extrem oder vielleicht sogar noch strenger?

Datum: _____

Warum habe ich mich gerade dafür entschieden?

_____

_____

_____

_____

_____

Was stelle ich mir besonders schwierig vor?

_____

_____

_____

_____

_____

Was wird mir vermutlich relativ leicht fallen?

_____

_____

_____

_____

_____

Welche Erkenntnis erwarte ich aus diesem Versuch für mich?

Welche Auswirkungen erwarte ich aus diesem Versuch für meine Umwelt?

Wie lange will ich das auf jeden Fall durchhalten?

DER VERSUCH LÄUFT

Der erste Tag ist vorbei. So schwer/einfach war er für mich:

☹ ☐☐☐☐☐☐☐☐☐☐ ☺

Datum: _____

Es ist etwas passiert, womit ich nicht gerechnet hatte:

_____

_____

Datum: _____

Es ist etwas passiert, das ich genau so erwartet hatte:

_____

_____

Datum: _____

Die Hälfte der Zeit ist vorbei. Wie fühlt sich das Ganze für mich an?

_____

_____

Datum: _____

Oh nein! Ich bin kurz schwach geworden ... Warum?

_____

_____

GESCHAFFT! ... ODER DOCH NICHT?

Warum habe ich den Versuch abgebrochen?

Haben sich meine Erwartungen erfüllt oder lief mein Fasten ganz anders?

Wie hat mein Umfeld auf mein Fasten reagiert?

Würde ich das Ganze noch einmal machen?
Warum ja? Warum nein?

Werde ich damit weitermachen? Warum nein? Warum ja? Falls ja: in
welcher Form? Weniger extrem oder vielleicht sogar noch strenger?

AB HEUTE FASTE ICH:

_____ _____ _____

tum: _____

arum habe ich mich gerade dafür entschieden?

_____ _____ _____

_____ _____ _____

_____ _____

_____ _____ _____

as stelle ich mir besonders schwierig vor?

_____ _____ _____

_____ _____ _____

_____ _____ _____

as wird mir vermutlich relativ leicht fallen?

_____ _____ _____

_____ _____ _____

_____ _____

Welche Erkenntnis erwarte ich aus diesem Versuch für mich?

Welche Auswirkungen erwarte ich aus diesem Versuch für meine Umwelt?

Wie lange will ich das auf jeden Fall durchhalten?

Der erste Tag ist vorbei. So schwer/einfach war er für mich:

😟 ⬜⬜⬜⬜⬜⬜⬜⬜ 🙂

Datum: ....

Es ist etwas passiert, womit ich nicht gerechnet hatte:

Datum: ....

Es ist etwas passiert, das ich genau so erwartet hatte:

Datum: ....

Die Hälfte der Zeit ist vorbei. Wie fühlt sich das Ganze für mich an?

Datum: ....

Oh nein! Ich bin kurz schwach geworden ... Warum?

GESCHAFFT! ... ODER DOCH NICHT?

Warum habe ich den Versuch abgebrochen?

_____

_____

_____

_____

_____

Haben sich meine Erwartungen erfüllt oder lief mein Fasten
ganz anders?

_____

_____

_____

_____

Wie hat mein Umfeld auf mein Fasten reagiert?

_____

_____

_____

_____

Würde ich das Ganze noch einmal machen?
Warum ja? Warum nein?

Werde ich damit weitermachen? Warum nein? Warum ja? Falls ja: in
welcher Form? Weniger extrem oder vielleicht sogar noch strenger?

AB HEUTE FASTE ICH:

_____

Datum: _____

Warum habe ich mich gerade dafür entschieden?

_____

_____

_____

_____

_____

Was stelle ich mir besonders schwierig vor?

_____

_____

_____

_____

_____

Was wird mir vermutlich relativ leicht fallen?

_____

_____

_____

_____

_____

Welche Erkenntnis erwarte ich aus diesem Versuch für mich?

_____

_____

_____

_____

Welche Auswirkungen erwarte ich aus diesem Versuch für meine Umwelt?

_____

_____

_____

_____

Wie lange will ich das auf jeden Fall durchhalten?

_____

DER VERSUCH LÄUFT

Der erste Tag ist vorbei. So schwer/einfach war er für mich:

☹ ▢▢▢▢▢▢▢▢▢ ☺

Datum: _____

Es ist etwas passiert, womit ich nicht gerechnet hatte:

_____

_____

Datum: _____

Es ist etwas passiert, das ich genau so erwartet hatte:

_____

_____

Datum: _____

Die Hälfte der Zeit ist vorbei. Wie fühlt sich das Ganze für mich an?

_____

_____

Datum: _____

Oh nein! Ich bin kurz schwach geworden ... Warum?

_____

_____

GESCHAFFT! ... ODER DOCH NICHT?

Warum habe ich den Versuch abgebrochen?

Haben sich meine Erwartungen erfüllt oder lief mein Fasten ganz anders?

Wie hat mein Umfeld auf mein Fasten reagiert?

Würde ich das Ganze noch einmal machen?
Warum ja? Warum nein?

Werde ich damit weitermachen? Warum nein? Warum ja? Falls ja: in
welcher Form? Weniger extrem oder vielleicht sogar noch strenger?

AB HEUTE FASTE ICH:

_____

Datum: _____

Warum habe ich mich gerade dafür entschieden?

_____

_____

_____

_____

Was stelle ich mir besonders schwierig vor?

_____

_____

_____

_____

Was wird mir vermutlich relativ leicht fallen?

_____

_____

_____

_____

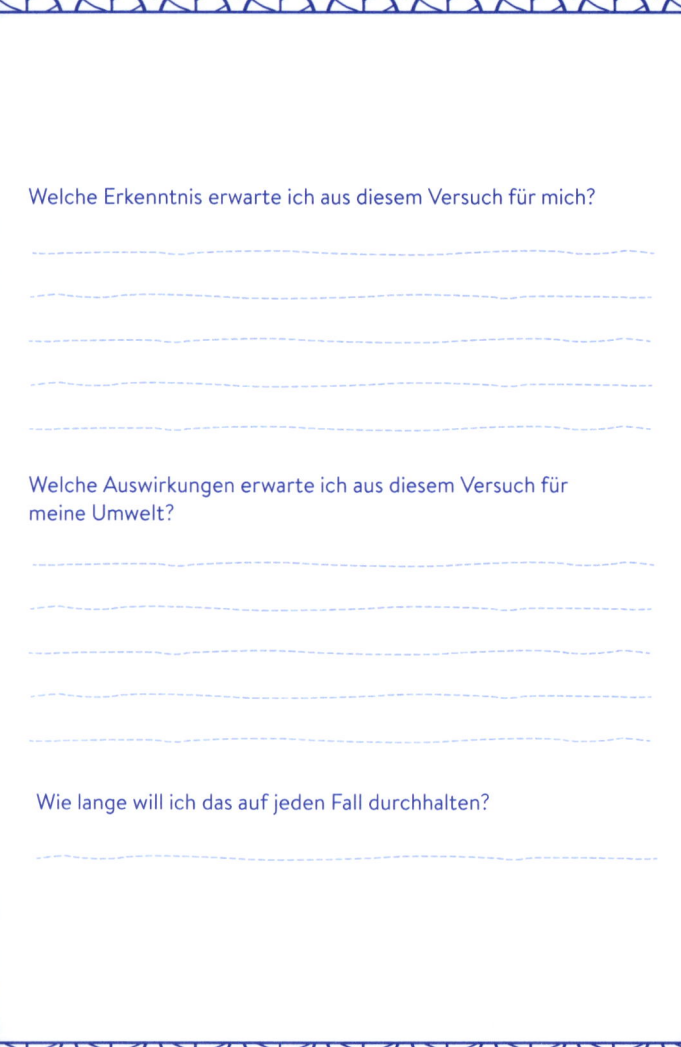

Welche Erkenntnis erwarte ich aus diesem Versuch für mich?

Welche Auswirkungen erwarte ich aus diesem Versuch für meine Umwelt?

Wie lange will ich das auf jeden Fall durchhalten?

DER VERSUCH LÄUFT

er erste Tag ist vorbei. So schwer/einfach war er für mich:

☹ ⬜⬜⬜⬜⬜⬜⬜⬜⬜ ☺

atum: _____

s ist etwas passiert, womit ich nicht gerechnet hatte:

_____

_____

atum: _____

s ist etwas passiert, das ich genau so erwartet hatte:

_____

_____

atum: _____

ie Hälfte der Zeit ist vorbei. Wie fühlt sich das Ganze für mich an?

_____

_____

atum: _____

h nein! Ich bin kurz schwach geworden … Warum?

_____

_____

GESCHAFFT! ... ODER DOCH NICHT?

Warum habe ich den Versuch abgebrochen?

Haben sich meine Erwartungen erfüllt oder lief mein Fasten ganz anders?

Wie hat mein Umfeld auf mein Fasten reagiert?

Würde ich das Ganze noch einmal machen?
Warum ja? Warum nein?

Werde ich damit weitermachen? Warum nein? Warum ja? Falls ja: in
welcher Form? Weniger extrem oder vielleicht sogar noch strenger?

AB HEUTE FASTE ICH:

Datum: _____

Warum habe ich mich gerade dafür entschieden?

_____

_____

_____

_____

_____

Was stelle ich mir besonders schwierig vor?

_____

_____

_____

_____

_____

Was wird mir vermutlich relativ leicht fallen?

_____

_____

_____

_____

_____

Welche Erkenntnis erwarte ich aus diesem Versuch für mich?

Welche Auswirkungen erwarte ich aus diesem Versuch für meine Umwelt?

Wie lange will ich das auf jeden Fall durchhalten?

DER VERSUCH LÄUFT

Der erste Tag ist vorbei. So schwer/einfach war er für mich:

☹ □□□□□□□□□ ☺

Datum: _____

Es ist etwas passiert, womit ich nicht gerechnet hatte:

_____

_____

Datum: _____

Es ist etwas passiert, das ich genau so erwartet hatte:

_____

_____

Datum: _____

Die Hälfte der Zeit ist vorbei. Wie fühlt sich das Ganze für mich an?

_____

_____

Datum: _____

Oh nein! Ich bin kurz schwach geworden … Warum?

_____

_____

GESCHAFFT! ... ODER DOCH NICHT?

Warum habe ich den Versuch abgebrochen?

Haben sich meine Erwartungen erfüllt oder lief mein Fasten ganz anders?

Wie hat mein Umfeld auf mein Fasten reagiert?

Würde ich das Ganze noch einmal machen?
Warum ja? Warum nein?

Werde ich damit weitermachen? Warum nein? Warum ja? Falls ja: in welcher Form? Weniger extrem oder vielleicht sogar noch strenger?

AB HEUTE FASTE ICH:

Datum:

Warum habe ich mich gerade dafür entschieden?

Was stelle ich mir besonders schwierig vor?

Was wird mir vermutlich relativ leicht fallen?

Welche Erkenntnis erwarte ich aus diesem Versuch für mich?

Welche Auswirkungen erwarte ich aus diesem Versuch
für meine Umwelt?

Wie lange will ich das auf jeden Fall durchhalten?

DER VERSUCH LÄUFT

er erste Tag ist vorbei. So schwer/einfach war er für mich:

☹ ⬜⬜⬜⬜⬜⬜⬜⬜ ☺

atum: ----------

ist etwas passiert, womit ich nicht gerechnet hatte:

atum: ----------

ist etwas passiert, das ich genau so erwartet hatte:

atum: ----------

e Hälfte der Zeit ist vorbei. Wie fühlt sich das Ganze für mich an?

atum: ----------

n nein! Ich bin kurz schwach geworden ... Warum?

GESCHAFFT! ... ODER DOCH NICHT?

Warum habe ich den Versuch abgebrochen?

_____

_____

_____

_____

_____

Haben sich meine Erwartungen erfüllt oder lief mein Fasten
ganz anders?

_____

_____

_____

_____

_____

Wie hat mein Umfeld auf mein Fasten reagiert?

_____

_____

_____

_____

ürde ich das Ganze noch einmal machen?
arum ja? Warum nein?

erde ich damit weitermachen? Warum nein? Warum ja? Falls ja: in
elcher Form? Weniger extrem oder vielleicht sogar noch strenger?

AB HEUTE FASTE ICH:

Datum: -----

Warum habe ich mich gerade dafür entschieden?

Was stelle ich mir besonders schwierig vor?

Was wird mir vermutlich relativ leicht fallen?

Welche Erkenntnis erwarte ich aus diesem Versuch für mich?

Welche Auswirkungen erwarte ich aus diesem Versuch für meine Umwelt?

Wie lange will ich das auf jeden Fall durchhalten?

Der erste Tag ist vorbei. So schwer/einfach war er für mich:

Datum: _____

Es ist etwas passiert, womit ich nicht gerechnet hatte:

_____

_____

Datum: _____

Es ist etwas passiert, das ich genau so erwartet hatte:

_____

_____

Datum: _____

Die Hälfte der Zeit ist vorbei. Wie fühlt sich das Ganze für mich an?

_____

_____

Datum: _____

Oh nein! Ich bin kurz schwach geworden ... Warum?

_____

_____

GESCHAFFT! ... ODER DOCH NICHT?

Warum habe ich den Versuch abgebrochen?

_____

_____

_____

_____

_____

Haben sich meine Erwartungen erfüllt oder lief mein Fasten
ganz anders?

_____

_____

_____

_____

Wie hat mein Umfeld auf mein Fasten reagiert?

_____

_____

_____

_____

Würde ich das Ganze noch einmal machen?
Warum ja? Warum nein?

Werde ich damit weitermachen? Warum nein? Warum ja? Falls ja: in
welcher Form? Weniger extrem oder vielleicht sogar noch strenger?

AB HEUTE FASTE ICH:

_____

Datum: _____

Warum habe ich mich gerade dafür entschieden?

_____

_____

_____

_____

Was stelle ich mir besonders schwierig vor?

_____

_____

_____

_____

Was wird mir vermutlich relativ leicht fallen?

_____

_____

_____

_____

Welche Erkenntnis erwarte ich aus diesem Versuch für mich?

Welche Auswirkungen erwarte ich aus diesem Versuch für meine Umwelt?

Wie lange will ich das auf jeden Fall durchhalten?

er erste Tag ist vorbei. So schwer/einfach war er für mich:

☹ ⬚⬚⬚⬚⬚⬚⬚⬚ ☺

atum: ....

s ist etwas passiert, womit ich nicht gerechnet hatte:

Datum: ....

s ist etwas passiert, das ich genau so erwartet hatte:

Datum: ....

ie Hälfte der Zeit ist vorbei. Wie fühlt sich das Ganze für mich an?

Datum: ....

Oh nein! Ich bin kurz schwach geworden … Warum?

GESCHAFFT! ... ODER DOCH NICHT?

Warum habe ich den Versuch abgebrochen?

Haben sich meine Erwartungen erfüllt oder lief mein Fasten ganz anders?

Wie hat mein Umfeld auf mein Fasten reagiert?

ürde ich das Ganze noch einmal machen?
arum ja? Warum nein?

erde ich damit weitermachen? Warum nein? Warum ja? Falls ja: in
elcher Form? Weniger extrem oder vielleicht sogar noch strenger?

AB HEUTE FASTE ICH:

Datum: _____

Warum habe ich mich gerade dafür entschieden?

_____
_____
_____
_____
_____

Was stelle ich mir besonders schwierig vor?

_____
_____
_____
_____
_____

Was wird mir vermutlich relativ leicht fallen?

_____
_____
_____
_____
_____

Welche Erkenntnis erwarte ich aus diesem Versuch für mich?

Welche Auswirkungen erwarte ich aus diesem Versuch für meine Umwelt?

Wie lange will ich das auf jeden Fall durchhalten?

DER VERSUCH LÄUFT

Der erste Tag ist vorbei. So schwer/einfach war er für mich:

☹ ⬜⬜⬜⬜⬜⬜⬜⬜⬜ ☺

Datum: ....

Es ist etwas passiert, womit ich nicht gerechnet hatte:

....

....

Datum: ....

Es ist etwas passiert, das ich genau so erwartet hatte:

....

....

Datum: ....

Die Hälfte der Zeit ist vorbei. Wie fühlt sich das Ganze für mich an?

....

....

Datum: ....

Oh nein! Ich bin kurz schwach geworden ... Warum?

....

....

GESCHAFFT! ... ODER DOCH NICHT?

Warum habe ich den Versuch abgebrochen?

Haben sich meine Erwartungen erfüllt oder lief mein Fasten ganz anders?

Wie hat mein Umfeld auf mein Fasten reagiert?

Würde ich das Ganze noch einmal machen?
Warum ja? Warum nein?

_____
_____
_____
_____
_____
_____
_____

Werde ich damit weitermachen? Warum nein? Warum ja? Falls ja: in
welcher Form? Weniger extrem oder vielleicht sogar noch strenger?

_____
_____
_____
_____
_____
_____
_____
_____

AB HEUTE FASTE ICH:

Datum: ....

Warum habe ich mich gerade dafür entschieden?

Was stelle ich mir besonders schwierig vor?

Was wird mir vermutlich relativ leicht fallen?

Welche Erkenntnis erwarte ich aus diesem Versuch für mich?

Welche Auswirkungen erwarte ich aus diesem Versuch für meine Umwelt?

Wie lange will ich das auf jeden Fall durchhalten?

DER VERSUCH LÄUFT

er erste Tag ist vorbei. So schwer/einfach war er für mich:

☹ ⬜⬜⬜⬜⬜⬜⬜⬜⬜ ☺

atum: _____

s ist etwas passiert, womit ich nicht gerechnet hatte:

_____

_____

atum: _____

s ist etwas passiert, das ich genau so erwartet hatte:

_____

_____

atum: _____

ie Hälfte der Zeit ist vorbei. Wie fühlt sich das Ganze für mich an?

_____

_____

atum: _____

h nein! Ich bin kurz schwach geworden ... Warum?

_____

GESCHAFFT! ... ODER DOCH NICHT?

Warum habe ich den Versuch abgebrochen?

_____

_____

_____

_____

_____

Haben sich meine Erwartungen erfüllt oder lief mein Fasten
ganz anders?

_____

_____

_____

_____

_____

Wie hat mein Umfeld auf mein Fasten reagiert?

_____

_____

_____

_____

ürde ich das Ganze noch einmal machen?
arum ja? Warum nein?

erde ich damit weitermachen? Warum nein? Warum ja? Falls ja: in
elcher Form? Weniger extrem oder vielleicht sogar noch strenger?

NOTIZEN

NOTIZEN

NOTIZEN

Das Glück liegt in uns,
nicht in den Dingen.

BUDDHISTISCHE WEISHEIT